WŁADYSŁAW BRONIEWSKI DLA DZIECI

Opracowanie graficzne
BOHDAN BUTENKO

Na narodziny wnuczki

Jestem sobie dziadzio maluczki,
piszę mały wierszyk dla wnuczki:
po to, żebyś, Ewciu, była jak grusza w Płocku,
w ogrodzie mojej Matki,
kiedy księżyc chodzi o północku,
taki piękny i dziwny, i rzadki,
zakochany w starej drewnianej dzwonnicy,
a może w naszym ogrodzie,
może zresztą w całej okolicy,
w wiślanej wodzie;
żebyś była jak konwalie w maju,
jak grusza w kwietniu,
jak najcichsza nad strumieniem zaduma,
jak spojrzenie na Wisłę zza Tumu —
no i żebyś kiedyś była stuletnia.

Pierwiosnek

Jeszcze w polu tyle śniegu,
Jeszcze strumyk lodem ścięty,
A pierwiosnek już na brzegu
Wyrósł śliczny, uśmiechnięty.

Witaj, witaj, kwiatku biały,
Główkę jasną zwróć do słonka,
Już bociany przyleciały,
W niebie słychać śpiew skowronka.

Stare wierzby nachyliły
Miękkie bazie ponad kwiatkiem:
— Gdzie jest wiosna? Powiedz, miły,
Czyś nie widział jej przypadkiem?

Lecz on, widać, milczeć wolał.
O czym myślał — któż to zgadnie?
Spojrzał w niebo, spojrzał w pola,
Szepnął cicho: — Jak tu ładnie...

Pierwszy motylek

Pierwszy motylek wzleciał nad łąką,
W locie radośnie witał się z słonkiem,

W górze zabłądził w chmurkę i w mgiełkę,
Sfrunął trzepocząc białym skrzydełkiem.

A gdy już dosyć miał tej gonitwy,
Pytał się kwiatków, kiedy rozkwitły?

Pytał się dzieci, kiedy podrosły?
Tak mu upłynął pierwszy dzień wiosny.

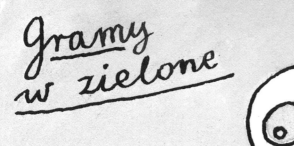

Gramy w zielone

— Proszę o zielone! —
Zaklekotał bociek
Do zielonej żabki,
Co siedziała w błocie.

Ale mądra żabka
Prędko myk! pod wodę:
— Miłe mi, bocianie,
Moje życie młode.

Rosły w błocie modre
Niezapominajki
I boćkowi rzekły:
— Znamy takie bajki!

Chciałbyś żabkę połknąć,
Lecz się obejdź smakiem:
Żabka gra w zielone
Z młodym tatarakiem!

Jeśli wierzyć kominiarzom,
Do kominów czyści włażą,

Ale potem, już od rana,
Twarz sadzami uwalana.

Na ramieniu miotły, sznury,
Na świat cały patrzą z góry.

Cały dzień po dachach łażą. —
Dobrze czarnym kominiarzom!

ŚMIGUS

Śmigus! Dyngus! Na uciechę
z kubła wodę lej ze śmiechem!
Jak nie z kubła, to ze dzbana,
śmigus-dyngus dziś od rana!

Staropolski to obyczaj,
żebyś wiedział i nie krzyczał,
gdy w Wielkanoc, w drugie święto,
będziesz kurtkę miał zmokniętą.

Słowik

Jakaż cudna to muzyka
W noc majową się rozlega?
To wieczorna pieśń słowika
W bzu pachnących, gęstych krzewach.

Zasłuchany ogród dyszy
Bzem, rozkwitłym porą nocną.
Słowiczeńku! czy ty słyszysz,
Jak nam serca biją mocno?

Śpiewaj, śpiewaj pośród kiści
Kwiatów wonnych u strumyka!
Może szczęście nam się ziści
Przez tę nocną pieśń słowika?

Liście kasztanu

SZEROKIE LIŚCIE
MA KASZTAN,
CIEŃ MUSI DAWAĆ
DLA MIASTA,
A W CIENIU NA TRAWIE
MIŁO SIĘ BAWIĆ.

NIE ZRYWAJCIE NAS,
KOCHANE DZIECI,
CHYBA ŻE BARDZO,
ALE TO BARDZO
CHCECIE.

W ogródku Zosi

W ogródeczku naszej Zosi
Śliczna róża grzecznie prosi:

— Wkradł się w grządki perz i chmiel,
Zosiu, Zosiu, chwasty piel!

Narcyz krzyczy: — Ledwiem żywy,
Bo ścisnęły mnie pokrzywy!

A konwalia: — I ja też,
Bo dokoła rośnie perz!

A pokrzywa się rozrosła,
Strasznie dumna i wyniosła:

— Niech mnie kto spróbuje tknąć,
Będę parzyć, będę ciąć!

Ale Zosia nie zna strachu,
Po pokrzywach ciachu-ciachu,

Grabki zmiotą chwasty w kąt:
— A wy brzydkie, precz mi stąd!

Potem bierze wodę z beczki,
Leje, leje z koneweczki...

Znikły chwasty, zniknął kurz,
Ślicznym kwiatkom dobrze już.

ZEGARY

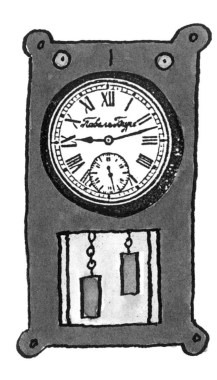

Tiknął-taknął zegar stary:
— Prześcignęły mnie zegary,
Bo ja z winy złej sprężyny
Spóźniam się o pół godziny.

— Tak-tak-tak! — odpowie budzik. —
Niepotrzebnie się pan trudzi,
Bo mój dzwonek wieści dzionek
Jeszcze wcześniej niż skowronek.

— To za wcześnie — mruknie tamten. —
Przy tym mógłbyś grać kurantem.
Jam kukułką ładnie dzwonił,
Zanim waćpan mnie przegonił.

Gdy tak głosi te przechwałki,
Bęc na ziemię i — w kawałki!
Tiknął-taknął zegar stary,
Przytaknęły mu zegary...

Tak kłóciły się zegary,
Jeden nowy, drugi stary,
Wtem zegarek zegarmistrza
Tak z kieszonki im zapiszczał:

— Tiku-tiku! tyle krzyku,
Mój staruszku, mój budziku!
Rację miewam ja, a nie wy,
Bom przyjechał tu z Genewy.

Nikt mnie za was nie zamieni,
Bo aż siedem mam kamieni!
Przy tym jestem takiej marki,
Żem zegarek nad zegarki!

Tramwaj

Tramwaj z rana jest wesoły,
Bo odwozi nas do szkoły.

Do południa mu się nudzi,
Bo w tramwaju mało ludzi,

A o drugiej na przystanku
Głośno dzwoni: — Wsiadaj, Janku!

Ale nie skacz do mnie w biegu,
Bo się może stać coś złego!

Dzyń-dzyń-dzyń. Przed domem staje.
Można lubić i tramwaje.

WAKACJE

Już wakacje się zaczęły,
do widzenia, szkoło!
Nie ujrzymy cię przez lato,
bawiąc się wesoło.

W kąt czytanki, w kąt rachunki,
książki i zeszyty!
Z nami czerwiec, z nami lipiec,
złotym słońcem szyty!

A gdy skończą się wakacje,
jak nam będzie miło,
że do ciebie, miła szkoło,
znów się powróciło.

Za wsią Lipki

Za wsią Lipki rzeczka płynie,
nad tą rzeczką stoi dworek,
a za rzeczką niedaleczko
leży wieś Czerwony Borek.

Franek z Czerwonego Borku
i Jaś z Lipek, chłopcy mali,
raz w niedzielę, łapiąc raki,
nad tą rzeczką się spotkali.

U nas w Lipkach — mówi Jasio —
stoi murowana szkoła.
— My w Czerwonym Borku także
mamy szkołę! — Franek woła.

A my w Lipkach mamy wiatrak,
co nam miele mąki wiele.
A w Czerwonym Borku mamy
młyn nad rzeczką przy kościele.

Długo chłopcy się kłócili:
U nas to... A u nas owo...
No, a na wsi, jak to na wsi,
wszędzie prawie jednakowo.

18

Stoi na szynach ciężka maszyna,
Dymem i parą bucha z komina,

Gwiżdże i syczy, stęka i sapie,
Tłusta oliwa z boków jej kapie.

To jest parowóz. Po to zrobiony,
Żeby po szynach ciągnął wagony.

Węgla mu sypią, wody mu leją,
Żebyśmy mogli jeździć koleją,

Zwiedzać dalekie, obce krainy,
Wszędzie dojechać, tam gdzie są szyny.

Wróżby

NA DŁUGIEJ ŁODYŻCE
MAŁE LISTKI —
CHCESZ COŚ ODGADNĄĆ,
ZERWIJ WSZYSTKIE.

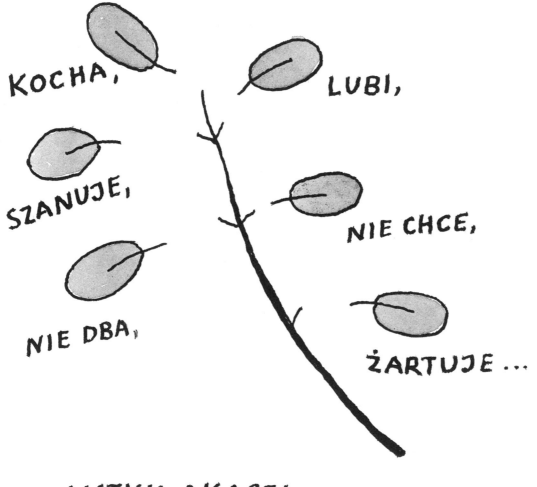

KOCHA,

LUBI,

SZANUJE,

NIE CHCE,

NIE DBA,

ŻARTUJE ...

LISTKU AKACJI,
NIE MIAŁEŚ RACJI.

Powódź

Wisła wylała! Wisła wylała!
Szumi i ryczy, pieni się cała.
Tonie bydło pośrodku drogi,
sterczą z wody baranie rogi,
krowy ryczą a konie rżą,
fale szumią, szumią i rwą,

płyną snopki owsa i żyta,
cała wioska wodą podmyta,
porwała powódź kurę-czubatkę,
po dach zalała już naszą chatkę,
Burek na dachu wyje i szczeka,
jeszcze go tutaj słychać z daleka,
kiedy z tatusiem płyniemy w łodzi...
Powódź coraz wyżej podchodzi.

Kukułka

„Kukułeczko, kukułeczko,
gdzieś ty?" „Ku-ku! Niedaleczko".
„No, to powiedz, moja miła:
ile latek będę żyła?"
„Ku-ku! Sto. I ku-ku! Dwieście.
Może dosyć będzie wreszcie".
„Kukaj jeszcze!" „Ku-ku! Trzysta.
Więcej niech ci kos wyśwista.
Albo dzięcioł niech wystuka.
Nie chce mi się dłużej kukać".

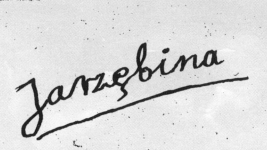

Jarzębina

Jarzębina, jarzębina
Już czerwienić się zaczyna,
Chce korali mieć bez liku
I przeglądać się w strumyku:

— Takam śliczna i młodziutka,
Lecz ta młodość taka krótka,
Bo opadnie liść niedługo,
Słota zjawi się z szarugą,
Posmutnieją pola, lasy,
Nie zostanie nic z mej krasy.

ZAJĄCZKI

ZAJĄCZKI, ZAJĄCZKI, ZAJĄCZKI
SKAKAŁY PRZEZ POLA I ŁĄCZKI.

STANĘŁY POD LASKIEM I PATRZĄ,
JAK DZIECI SIĘ BAWIĄ I SKACZĄ.

A DZIECI PODAŁY IM RĄCZKI
I Z DZIEĆMI SKAKAŁY ZAJĄCZKI.

Sam do szkoły

Mama dała
Bułkę z serem.
— A uważaj
Tam za skwerem;

Gdy coś trąbi,
Gdy coś dzwoni,
Nie przebiegaj,
Niech Bóg broni!...

Idę, idę,
Z tęgą miną,
W prawo tramwaj,
W lewo kino.

Idę, idę,
A mam stracha,
Bo milicjant
Ręką macha.

Do fabryki
Poszedł tato,
Robił na mnie
Całe lato,

Żebym zdrowy
I wesoły
Poszedł dzisiaj
Sam do szkoły.

Samochody
Jadą pędem,
A ja w szkole
Na czas będę.

Tramwaj dzwoni
Bez litości
I czerwony
Jest ze złości.

Literki

Raz literki w abecadle
Chciały się zabawić
I kłóciły się zajadle,
Jakby się ustawić.

A krzyczało:

CHCĘ BYĆ PIERWSZE!

Ale **B** nie chciało,
C i **D** zgubiły wiersze,
E pod stół zleciało,

O toczyło się, toczyło,
Aż w kałamarz wpadło.
Tak o miejsca się kłóciło
Całe abecadło.

Nagle słychać głosik Anki:

CICHO MI W TEJ CHWILI!
MARSZ, LITERKI,
DO CZYTANKI,
JAK WAS USTAWILI!

Teczka Zosi

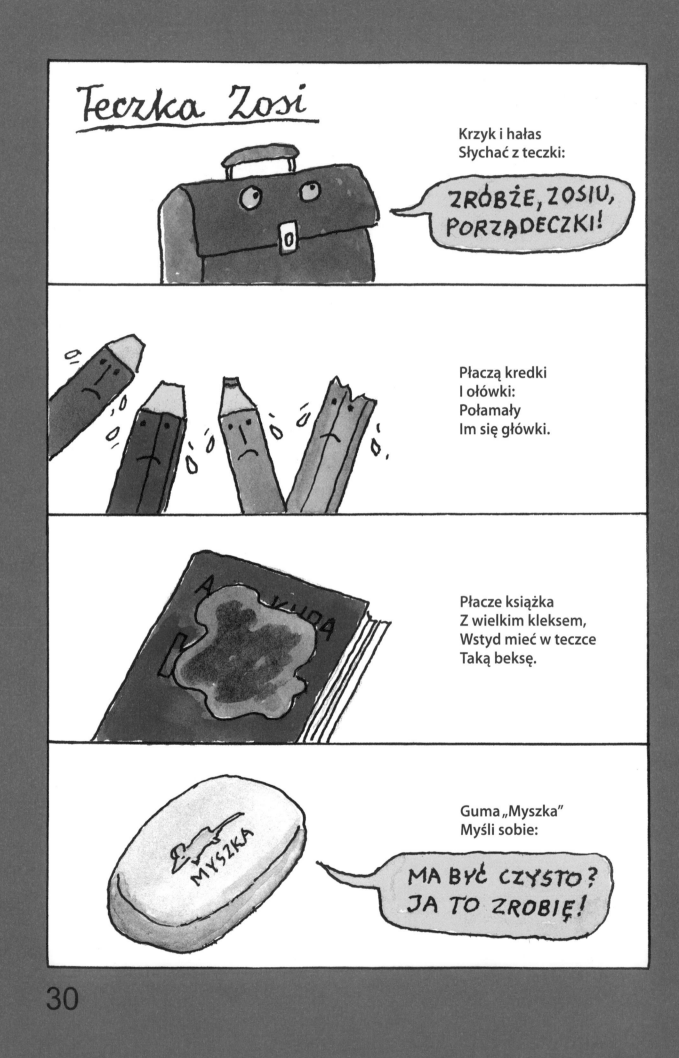

Krzyk i hałas
Słychać z teczki:

ZRÓBŻE, ZOSIU,
PORZĄDECZKI!

Płaczą kredki
I ołówki:
Połamały
Im się główki.

Płacze książka
Z wielkim kleksem,
Wstyd mieć w teczce
Taką beksę.

Guma „Myszka"
Myśli sobie:

MA BYĆ CZYSTO?
JA TO ZROBIĘ!

POŻAR

GWAŁTU, RETY! DOM SIĘ PALI!
JUŻ STRAŻACY PRZYJECHALI.

PRĘDKO WLEŹLI PO DRABINIE
I STANĘLI PRZY KOMINIE.

POLEWAJĄ SIKAWKAMI
OGIEŃ, KTÓRY JEST NAD NAMI.

DYM I OGIEŃ BUCHA Z DACHU,
ALE STRAŻAK NIE ZNA STRACHU,

CHOĆ GORĄCO MU OKROPNIE,
WSZEDŁ NA GÓRĘ, JUŻ JEST W OKNIE

I RATUJE DZIECI Z OGNIA.
TAK STRAŻACY ROBIĄ CO DNIA.

W PARKU

Dzisiaj lekcji już nie będzie,
dzisiaj cała nasza klasa
w parku, tam gdzie są łabędzie,
wesolutko sobie hasa.

Nie depczemy ślicznej trawki,
nie zrywamy kwiatów z grządek:
chociaż nikt nie patrzy z ławki,
sami dbamy o porządek.

Można gonić się po ścieżkach,
zbierać liście i kasztany.
A na stawie łabędź mieszka,
śliczny, jak zaczarowany.

Wszystkie dzieci tam przystaną,
rzucą mu okruszki bułki.
Patrzcie, patrzcie! Nad fontanną
samoloty i jaskółki!

Odlot bocianów

Stadem krążą już bociany
Ponad wsią rodzinną,
Odlatują w kraj nieznany,
Bo im tutaj zimno.

Słychać klekot ich żałosny:
— Strach nam srogiej zimy!
Do widzenia aż do wiosny,
Wcześniej nie wrócimy!

Hen, za morze odlatują,
Tam, gdzie słonko świeci.
Mogą lecieć — nie popsują
Gniazd bocianich dzieci.

Zbieramy kasztany

Zbieramy kasztany,
Robimy w nich dziurki,
A wtedy je można
Nawlekać na sznurki.

Tak robi się lejce,
Naszyjnik z korali.
Kasztany, kasztany
Będziemy zbierali.

BABIE LATO

W DZIEŃ JESIENNY POMALEŃKU
IDZIE DZIADZIO Z BABULEŃKĄ.
BABCIA MÓWI: „GRZEJ SIĘ, DZIADKU,
W CIEPŁYM SŁONKU, W BABIM LATKU".
„BABULEŃKO – DZIADZIO NA TO –
SPOJRZYJ, LECI BABIE LATO!"
LECI, LECI SIWA PRZĘDZA,
WIATR NIĄ RZUCA, WIATR JĄ SPĘDZA.

WŁOS CI, DZIADZIU, PRZYPRÓSZYŁA...

TOBIE TAKŻE, BABCIU MIŁA...

SŁONKO GRZEJE. POMALEŃKU
IDZIE DZIADZIO Z BABULEŃKĄ.

Wiewiórka

Ruda wiewiórka, ruda wiewiórka
Skacze wesoło z drzewa na drzewo.
Z chwiejnej gałązki w zieleń da nurka,
Machnie ogonkiem w prawo i w lewo.

Zeszła na ziemię, nic się nie boi,
Wie, że orzeszki mamy w kieszonkach,
O, z ręki bierze! O, przy mnie stoi
Chwiejąc puszystym końcem ogonka.

Nikt jej nie skrzywdzi, nikt jej nie spłoszy,
Taka jest śliczna, zręczna i żywa!
Zjadła orzeszków za kilka groszy,
Na pożegnanie ogonkiem kiwa.

Jesień

Jesień, jesień na dworze.
Już babie lato powiewa,
rolnik zagony orze,
będzie je ziarnem obsiewał.

Kopią kartofle w polu
i jabłka strząsają w sadzie.
Coraz niżej nad rolą
słońce jesienne się kładzie.

Samolot

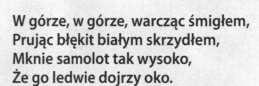

W górze, w górze, warcząc śmigłem,
Prując błękit białym skrzydłem,
Mknie samolot tak wysoko,
Że go ledwie dojrzy oko.

Taki lot — to rzecz wspaniała!
Ziemia w dole — taka mała.
Dookoła — blask i błękit,
Chmurkę — można wziąć do ręki!

Już odleciał ptak stalowy,
Pospuszczały dzieci głowy,
Ale każde marzy o tym,
Żeby latać samolotem.

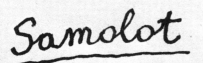

Liście

Klon ma złote liście,
Świecą się ogniście,
Jesion zaś brązowe,
Zgubił ich połowę;
Dęby się czerwienią
Pół na pół z zielenią,

Olcha, żółto-siwa,
Wiatr jej liście zrywa,
Miesza je z innymi,
Pędzi het! po ziemi,
Z najładniejszych liści
Cały las oczyści.

Dębowe liście

Wiosną zielone,
Jesienią jak złoto,
Prześliczne wieńce
Ludzie z nich plotą:

Jedne na groby,
Drugie dla ozdoby.

Liście dębowe
Palą fajeczki,
Opowiadają
Śliczne bajeczki.

Jesienny wiatr

Raz jesienny wiatr
Obiegł cały świat,
Świstał i szumiał, łamał gałęzie,
Pełno go było tutaj i wszędzie.

Gniewnie szumiał las:
— Po coś tutaj wlazł?
Lepiej byś, wietrze, hulał po polu,
Bo mi tu jęczą sosny, topole.

A jesienny wiatr
Pędzi dalej w świat,
Łamie gałęzie, płoty przewraca,
Ciężka to praca, miła to praca!

Wreszcie opadł z sił
I w kominie wył.
W szparze komina spał mały świerszczyk,
On to powiedział dzieciom ten wierszyk:

Jak jesienny wiatr
Obiegł cały świat,
Szumiał i świstał, świstał i szumiał,
Bajki w kominie mruczał, jak umiał.

Świerk

Jestem sobie
świerk, świerk, świerk.
Krzyknął wróbel:
„Ćwierk, ćwierk, ćwierk!"
Uciekł, uciekł,
jak oparzony
z ostro kłującej,
gałązki zielonej,
bo świerkowej igły
nie dotykał nigdy.

Zaduszki

W dniu Zaduszek, w czas jesieni,
odwiedzamy bliskich groby,
zapalamy, zasmuceni,
małe lampki — znak żałoby.

Światła cmentarz rozjaśniły,
że aż łuna bije w dali,
lecz i takie są mogiły,
gdzie nikt lampki nie zapali.

Sklepik spółdzielczy

W naszym sklepiku są na sprzedanie
Różne towary dobre i tanie:
Kredek, zeszytów, gumek bez liku
Każdy dostanie w naszym sklepiku.

Ruch podczas pauzy zawsze tam duży.
Wspólny to sklepik, wszystkim nam służy,
Więc rachujemy dochód rzetelnie
I popieramy naszą spółdzielnię.

Cieszą się dzieci, kiedy w potrzebie
Mogą kupować wszystko u siebie,
Co dzień przyniosą choć po grosiku,
Żeby go wydać w naszym sklepiku.

Opatrujemy okna

Po zimowe okna
Chodźmy na poddasze,
Bo już coraz chłodniej
Jest w mieszkaniu naszym.

Okna umyjemy,
Watą opatrzymy,
Żeby ciepła wata
Nie wpuściła zimy.

Nasypiemy piasku,
Nałożymy waty,
Potem barwną włóczkę
Ciąć będziemy w kwiaty:

Żółtą i różową,
Złotą i błękitną —
I włóczkowe kwiaty
W oknach nam zakwitną.

Narty

Narty to są zwykłe deski,
Przyczepione do podeszwy.

Ale niech no śnieg upadnie,
Pokażemy, jak to ładnie

Zjeżdża się, aż w uszach dzwoni!
Jak się można bawić, gonić,

Jak się można tarzać w śniegu!
A gdy ktoś upadnie w biegu,

Też nic złego się nie stanie:
Śnieg — mięciutkie to posłanie.

Płot w zimie

Hop-hop-hop! zima biała
płotu czapy usypała,
czapy sute, że aż miło,
żeby płotu ciepło było.

TŁUSTY CZWARTEK

Góra pączków, za tą górą
tłuste placki z konfiturą,
za plackami misa chrustu,
bo to dzisiaj są zapusty.

Przez dzień cały się zajada,
a wieczorem maskarada:
Janek włożył ojca spodnie,
choć mu bardzo niewygodnie,
Zosia — suknię babci Marty
i kapelusz jej podarty,
Franek sadzy wziął z komina,
bo udawać chce Murzyna.
W tłusty czwartek się swawoli,
później czasem brzuszek boli.

WRÓBELKI
ZIMĄ

ĆWIR, ĆWIR, ĆWIR, ZIMA BIAŁA,

PODWÓRECZKO PRZYSYPAŁA,

W BIAŁYM PUCHU CAŁA ZIEMIA,
NIC NIE WIDAĆ DO JEDZENIA.

ĆWIR, ĆWIR, ĆWIR, NA PODWÓRKO
WYGLĄDAMY Z GNIAZDKA DZIURKĄ,

CZY NA ŚMIETNIK DLA WRÓBELKÓW
NIE WYSYPIĄ KARTOFELKÓW.

CHOINKI

Choinki, choinki, choinki,
Dla Anki, dla Oli, dla Inki.

Wyrosły znienacka na śniegu,
Stanęły na placu w szeregu.

Jak dziwnie! Na placu, wśród miasta
Zielona gęstwina wyrasta!

Gdy śnieg ją przyprószy, ubieli,
I oczom, i sercu weselej.

Do gwiazdki postoją choinki
Dla Anki, dla Oli, dla Inki.

Spis treści

Redaktor prowadzący
Katarzyna Lajborek-Jarysz

Opracowanie graficzne
Bohdan Butenko

Opracowanie techniczne
Barbara i Przemysław Kida

ISBN 978-83-7506-654-8

Zysk i S-ka Wydawnictwo
ul. Wielka 10, 61-774 Poznań
tel. 61 853 27 51, 61 853 27 67, faks 61 852 63 26
dział handlowy, tel./faks 61 855 06 90
sklep@zysk.com.pl
www.zysk.com.pl